DIVERSITY *to me*

A DIVERSIDADE PARA MIM

By Marisa J. Taylor
Illustrated by Fernanda Monteiro

BILINGUAL
English- Brazilian Portuguese

Diversity To Me
A Diversidade Para Mim

Text & Illustration Copyright © 2022 by Lingobabies

Written by Marisa Taylor
Illustrated by Fernanda Monteiro

ISBN: 978-1-914605-15-4 (paperback)
ISBN: 978-1-914605-37-6 (hardcover)

English Edited by Shari Last
Brazilian Translation by Mariane Pimenta
Graphic Design by Fernanda Monteiro

This book is dedicated to all the children of the world who feel insecure about their differences. May you learn to love and embrace what makes you different from the rest.

Every day tell yourself one thing you love about yourself and always remember that you are perfect just the way you are.

This book is also dedicated to my children, who I love dearly. You inspire me to be a better person and to use my voice to stand up against racism & inequalities.

Este livro é dedicado a todas as crianças que se sentem inseguras devido às suas diferenças.

Espero que você aprenda a amar e aceitar o que o torna diferente dos demais.

Todos os dias, diga algo que ama em você e lembre sempre que você é perfeito do jeito que é.

Este livro também é dedicado às minhas filhas que tanto amo.

Elas me inspiram a ser uma pessoa melhor e a usar minha voz para lutar contra o racismo e as desigualdades.

Marisa Taylor

Hi, what's your name?

Olá, qual é o seu nome?

· ·

Hi,
my name is Havana.

Olá, meu nome é
Havana.

Do you know the word,
"diversity"?
Let me tell you what that
word means to me.

Você conhece a palavra "diversidade"?
Vou te contar o que ela significa
para mim.

Diversity is about being different:
A different look, a different culture, a different race.
A different ethnicity - even a different face.

Diversidade é sobre ser diferente:
Seja na aparência, raça ou cultura. Etnias diferentes - cada rosto uma moldura.

Everyone is born different, and that is a wonderful thing.

Todos nascem diferentes e isso é maravilhoso, de fato.

Because if everyone was born the same,
the world would be boring.

Porque se todos nascessem iguais, o mundo seria bem chato.

I love the word "different".
It makes me feel free.
It reminds me that
no one is the same.
There is only one me.

Eu adoro a palavra "diferente".
Me dá uma sensação de liberdade.
Me faz lembrar que ninguém é igual
e que eu sou única na humanidade.

I have curly hair, brown skin,
and freckles on my face.
But that's not what defines me.
It's my joy and style and grace.

Tenho cabelos enrolados, pele morena e
sardinhas no rosto.
Mas não é isso que me define.
E sim o meu estilo, meu encanto,
meu gosto.

My friend Ore is different, too:
he is not like me.
He is shy and quiet - the
kindest kid you'll ever see.

O meu amigo Ore é diferente,
não é igual a mim.
Ele é tímido e calmo -
adorável assim.

Alexia is different, too.
She loves to paint and run.
She's the fastest kid I know.
Together we have such fun!

Alexia é diferente também. Ela adora pintar e correr.
É a menina mais rápida que conheço. Juntas nos divertimos pra valer.

My friend Noah is an artist - he's
definitely unique.
He's also such a joker,
I laugh each time we speak.

O meu amigo Noah é um artista -
ele é realmente peculiar.
Além de muito engraçado, toda vez
que ele fala, rio sem parar.

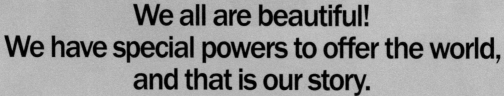

We all are beautiful!
We have special powers to offer the world,
and that is our story.

Todos temos a nossa beleza e super poderes para ao mundo oferecer. Essa é a nossa missão.

We should never judge
someone for who they are,
but accept them in all their glory.

Jamais devemos julgar as pessoas por serem como são, mas aceitá-las em todas as suas formas de expressão.

Our physical, cultural, and religious differences make the world a beautiful place.

Nossas diferenças físicas, culturais e religiosas fazem do mundo um lugar excepcional.

Differences are beautiful,
and are there for us to embrace.

Diferenças precisam ser aceitas, isso é fundamental!

Everyone has their own special
talents. That's what makes us
shine - you and me.
And that is the true beauty of
diversity.

Todos temos dons especiais que nos fazem brilhar de verdade. E esta é a verdadeira importância da palavra **diversidade**.

What does diversity mean to you?

O que significa diversidade para você?

About the creators

Marisa Taylor is a German/Canadian Author who resides in London, UK with her husband and children. They are a multiracial & multilingual family. Marisa has always been interested in learning & teaching languages, as she feels that it is the key element to connecting with people from other cultures. After becoming a mother she saw the lack of diverse resources available and became passionate about creating diverse bilingual resources that encourage children to celebrate multiculturalism and to learn a second language.

Instagram: @lingobabies

Fernanda Monteiro is a Brazilian illustrator and a mother of two, Íris and Aurora. She graduated in journalism, but her dream was always to work with drawing and found that the best way to do this would be through creating illustrations for children's books. Fernanda believes that through art she can contribute towards a better world in the future.

Instagram: @fe.monteiro_art